L. O. ANZAGHI

Antologia
Per chitarra

Volume I

RICORDI

PREFAZIONE

Nell'accingermi alla preparazione del materiale didattico necessario per lo studio della chitarra, mi ero imposto un programma di lavoro ben definito e sistematico.

Quale base fondamentale scrissi il *Metodo completo per chitarra* (ed. Ricordi n. 129374) che ebbe subito un ottimo successo. Al metodo feci seguire il *Chitarrista virtuoso* (ed. Ricordi n. 129461), una raccolta di 64 composizioni originali, in parte tratte dal Metodo, che completate con altri lavori e disposte in ordine progressivo di difficoltà, apportarono un contributo non indifferente allo svolgimento del programma.

A questi lavori non poteva mancare la parte riguardante lo sviluppo della tecnica e a tale scopo scrissi i *50 Esercizi di tecnica* (ed. Ricordi numero 129638) e le *Scale* (ed. Ricordi n. 130036), due lavori di cui si sentiva la mancanza, sempre in rapporto al programma sopra menzionato.

Ma se nel loro insieme i suddetti lavori formano già una base significativa, tuttavia era evidente che mancava materiale di studio indispensabile sia dal punto di vista didattico sia culturale.

Per conseguire lo scopo era necessario munirsi di diversi volumi, costosi e non sempre reperibili, non solo, ma era indispensabile operare una scelta accurata e sovente ciò era motivo di grave disagio nel regolare procedere dello studio.

Ora, per completare il programma prestabilito, ho preparato una *Antologia per chitarra* composta di lavori scelti fra quelli dei migliori autori di musiche chitarristiche.

In altre parole, mi sono attenuto in tutti i lavori, cioè in tutto il programma, ad una progressione didattica basata principalmente sulla difficoltà derivante dalla imperfetta conoscenza delle singole posizioni sullo strumento. Per ottenere buoni risultati bisogna dare possibilità allo studioso di impadronirsi della conoscenza tecnica relativa ad ogni posizione, il che gli permetterà di superare quelle difficoltà che sono all'origine di ogni esecuzione scorretta.

Questa *Antologia per chitarra*, divisa in due volumi (ed. Ricordi: I volume n. 130034 - II volume n. 130035) non vuole essere una base di studio, ma piuttosto un complemento ad un qualsiasi metodo per chitarra. Infatti tutte le composizioni sono disposte in ordine progressivo di difficoltà.

Tuttavia si rende indispensabile la guida di un metodo e, possibilmente, di un buon insegnante.

LUIGI ORESTE ANZAGHI

Milano, Gennaio 1960.

AVVERTENZE

Scopo principale di questa *Antologia per chitarra* è quello di offrire a tutti coloro che si accingono allo studio di tale strumento, a fine dilettantistico oppure professionale, una guida sicura per raggiungere nel minor tempo possibile e nel migliore dei modi, lo scopo che si sono prefissi.

Non reputo opportuno dilungarmi in minuziose e tediose spiegazioni, tuttavia ritengo utile accennare ad alcuni consigli che contribuiranno notevolmente a conseguire il risultato finale.

E' consigliabile, prima di iniziare lo studio di una composizione scritta in una data posizione, che l'allievo si senta tecnicamente sicuro su detta posizione. Non si proceda nello studio di nuove posizioni se non ci si sente sicuri sulle precedenti. Si eviteranno così difficoltà inutili e perdita di tempo.

Si è sempre rilevato che, se molto influisce il tempo che si dedica allo studio, ben più influisce il modo in cui si studia. La precisione e la meticolosità daranno risultati più soddisfacenti che non l'applicazione intensa rivolta a musiche di difficoltà superiore alle possibilità dell'allievo.

Si ponga attenzione a non contrarre cattive abitudini, con speciale riferimento alla diteggiatura, poiché esse difficilmente potrebbero in seguito venire eliminate e renderebbero perciò lo studio più faticoso.

Gli studi più noiosi (esercizi di tecnica, scale, accordi, ecc.) sono quelli che maggiormente influiscono sul rendimento generale, quindi occorre che siano studiati quotidianamente e parallelamente a questa *Antologia*. La fatica spesa sarà largamente ricompensata.

Si inizi lo studio di ogni composizione assai lentamente e si arrivi al tempo di metronomo soltanto dopo aver raggiunto la necessaria sicurezza.

Si faccia speciale attenzione di ottenere suoni chiari e senza distorsioni; si curi perciò la posizione delle dita sulla tastiera e l'indispensabile pressione delle dita sulle corde.

E' molto utile che lo studioso, desideroso di apprendere nel più breve tempo e bene, si affidi a un buon insegnante: questo lo aiuterà a superare eventuali difficoltà e, con suggerimenti e consigli, lo invoglierà a proseguire con tenacia e fiducia.

Indice

per due chitarre

Luigi Oreste Anzaghi (1903 - 1963)
ANTOLOGIA
PER CHITARRA

ai miei figli Davide e Maria Teresa
IL PAPÀ

Volume I

VALZER
(I POSIZIONE)

F. CARULLI
(1770 - 1841)

D. C. al Fine

MAESTOSO
(I POSIZIONE)

M. GIULIANI
(1780-1840)

ANDANTE
(I POSIZIONE)

F. SOR
(1778-1839)

FINE

Non dimenticate: lo studio di oggi sarà la gioia di domani

LEZIONE
(I e II POSIZIONE)

D. AGUADO
(1784-1849)

Allegretto

LEZIONE

(I POSIZIONE)

D. AGUADO

MINUETTO

(I POSIZIONE)

R. DE VISÉE

Studiate lentamente: otterrete sicurezza e precisione. La velocità verrà in seguito.

130034

BOURRÉE
(I e II POSIZIONE)

R. DE VISÉE

LEZIONE
(I POSIZIONE)

D. AGUADO

ESERCIZIO
(I POSIZIONE)

D. AGUADO

9

PRELUDIO
(I POSIZIONE)

R. DE VISÉE

10

★) Sostituzione delle dita.

180084

MINUETTO
(I e II POSIZIONE)

R. DE VISEE

11

ANDANTE
(I e II POSIZIONE)

F. CARULLI

12

★) SI ③ Corda IV Tasto 3 dito (equisuono obbligato)

ANDANTE
(I e II POSIZIONE)

F. SOR

Gli "Esercizi tecnici" di L. O. Anzaghi (ed. Ricordi N. 129638) vanno studiati quotidianamente e parallelamente a questa Antologia. Non dimenticatelo.

130034

ESERCIZIO A DUE VOCI

(I e II POSIZIONE)

D. AGUADO

STUDIO

(I e II POSIZIONE)

D. AGUADO

D. C. al Fine

BOURRÉE

(I e II POSIZIONE)

G. PH. TELEMANN

Nel "Metodo completo„ per Chitarra di L. O. Anzaghi (ed. Ricordi N. 129374) troverete quanto c'è di meglio per imparare sicuramente e bene.

ALLEGRETTO
(I e II POSIZIONE)

M. GIULIANI

★) MI ② corda V tasto   DO ③ corda V tasto   4 dito disposto a barre su tre corde (equisuoni obbligati)

ANDANTE
(I POSIZIONE)

F. CARULLI

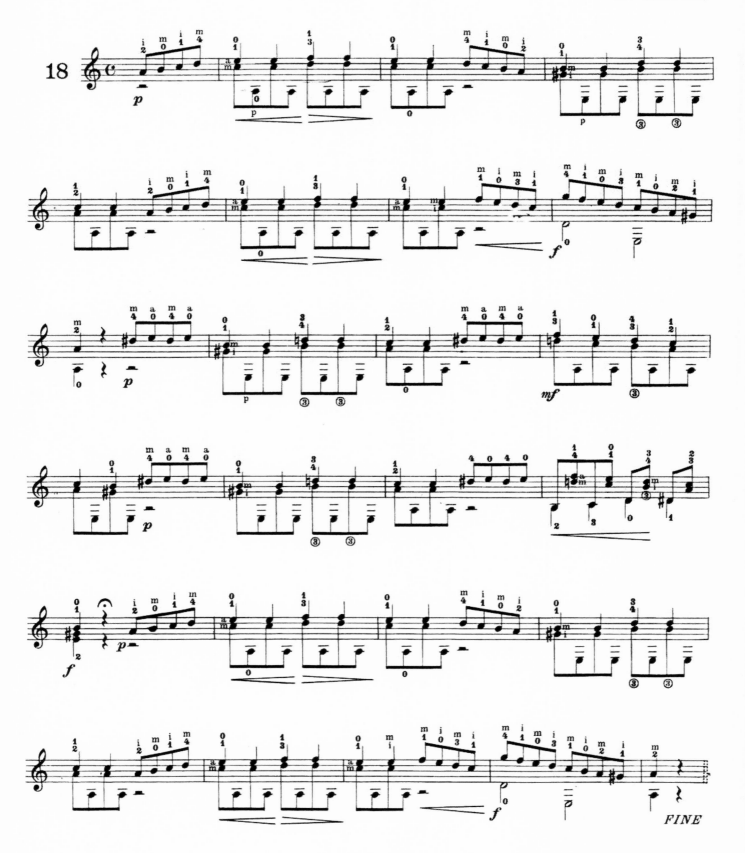

FINE

D. C. al Fine

Dal "Catalogo generale" di L. O. Anzaghi, rileverete cose nuove e interessan-
ti. Richiedetelo.

130034

RONDÓ

(I e II POSIZIONE)

F. CARULLI

★) RE ⑤ corda V tasto 4 dito (equisuono obbligato)

ANDANTE

(I POSIZIONE)

F. CARULLI

20

FINE

D. C. al Fine

Fate attenzione a non contrarre cattive abitudini che difficilmente riuscireste ad eliminare.

130031

ANDANTINO

(I POSIZIONE)

M. GIULIANI

Nella"Teoria musicale"di L. O. Anzaghi è chiaramente spiegato tutto quanto riguarda la vostra cultura musicale.

130034

ANDANTE
(I e II POSIZIONE)

F. MOLINO

★) SI♯ ③ corda V tasto 4 dito (equisuono obbligato)

★★) LA ⑥ corda V tasto 4 dito (equisuono obbligato)

130034

TEMPI LONTANI
(I POSIZIONE)

L. O. ANZAGHI

DIVERTIMENTO
(I e II POSIZIONE)

F. CARULLI

VALZER
(I e II POSIZIONE)

F. CARULLI

Lo studio delle "Scale per chitarra" di L. O. Anzaghi (ed. Ricordi N. 130036) va fatto quotidianamente e parallelamente a quello di questa Antologia.

p, la II^a volta f

★) SI ③ corda IV tasto 3 dito (equisuono conveniente)

TEMPO DI POLACCA
(I POSIZIONE)

M. GIULIANI

26

SARABANDA
(I e II POSIZIONE)

R. DE VISÉE

27

Rileggete la "Prefazione" Vi rivelerà cose utili.

130034

VALZER
(I POSIZIONE)

F. CARULLI

MODERATO
(I e II POSIZIONE)

R. SCHUMANN

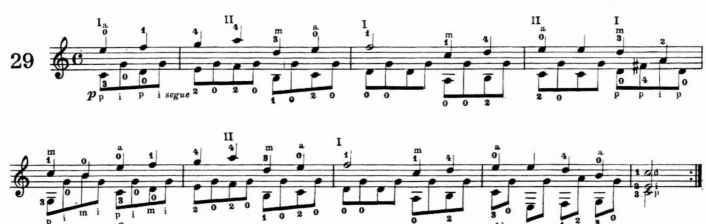

A RIMPIATTINO
(I POSIZIONE)

L. O. ANZAGHI

MINUETTO

(I e II POSIZIONE)

J. S. BACH

VALZER

(I e II POSIZIONE)

F. CARULLI

Non irrigidite la mano: il passaggio delle dita vi sarà più facile.

130034

SOLITUDINE

(I e II POSIZIONE)

L. O. ANZAGHI

ANDANTE GRAZIOSO
(I e II POSIZIONE)

F. CARULLI

34

ANDANTINO
(I e II POSIZIONE)

M. GIULIANI

35

MINUETTO
(I e II POSIZIONE)

R. DE VISÉE

36

Allegretto

Calma e buona volontà contribuiscono alla cultura dello studioso.

MINUETTO
(I e II POSIZIONE)

A. DIABELLI
1781 - 1858

TRIO

★) *Sol* ④ corda V tasto 4 dito (equisuono obbligato).
★) Pizzicato con mano sinistra.(Vedi nota in calce alla pag. 38).

130034

ALLEGRETTO

(I e II POSIZIONE)

M. GIULIANI

★) Eseguire l'accompagnamento alternando le dita pollice e indice.

130034

MINUETTO

(*I. e II. POSIZIONE*)

J.H. BUTTSTEDT

Studiare lentamente e con attenzione, si apprende meglio e rapidamente.

1. 0054

ALLEGRETTO

(I e II POSIZIONE)

F. CARULLI

RONDÒ

(I e II POSIZIONE)

F. CARULLI

Poco allegretto

41

.Non dimenticate: lo studio di oggi sarà la gioia di domani.

130034

ALLEGRETTO

(I e II POSIZIONE)

M. GIULIANI

★) Ottenere la nota martellando o strappando con le dita della mano sinistra. Vedi "Metodo completo per chitarra,, di L.O. Anzaghi Ed. Ricordi 129374.

130034

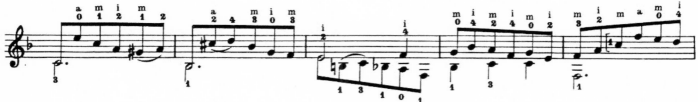

TEMA E VARIAZIONI

(I e II POSIZIONE)

F. CARULLI

I VARIAZIONE

E bene non guardare la tastiera quando si suona.

III VARIAZIONE

segue

*) Alternare le dita medio e indice.

ANDANTE
(I e II POSIZIONE)

F. CARULLI

130034

D. C. al Fine

STUDIO

(I e II POSIZIONE)

M. CARCASSI

★) Vedi nota a pag. 38.

130034

STUDIO IN SOL MINORE

I e II POSIZIONE

L. O. ANZAGHI

L'ascoltare buona musica, se eseguita da ottimi esecutori, è cosa utile e necessaria. Si raffina l'esigenza artistica e quindi il risultato finale di ogni intelligente studioso.

130034

TEMA E VARIAZIONE

I e II POSIZIONE

L. O. ANZAGHI

★)Su consiglio dell'Insegnante, si applichi la seguente
variante il che da maggiore rilievo alla melodia

Oppure:

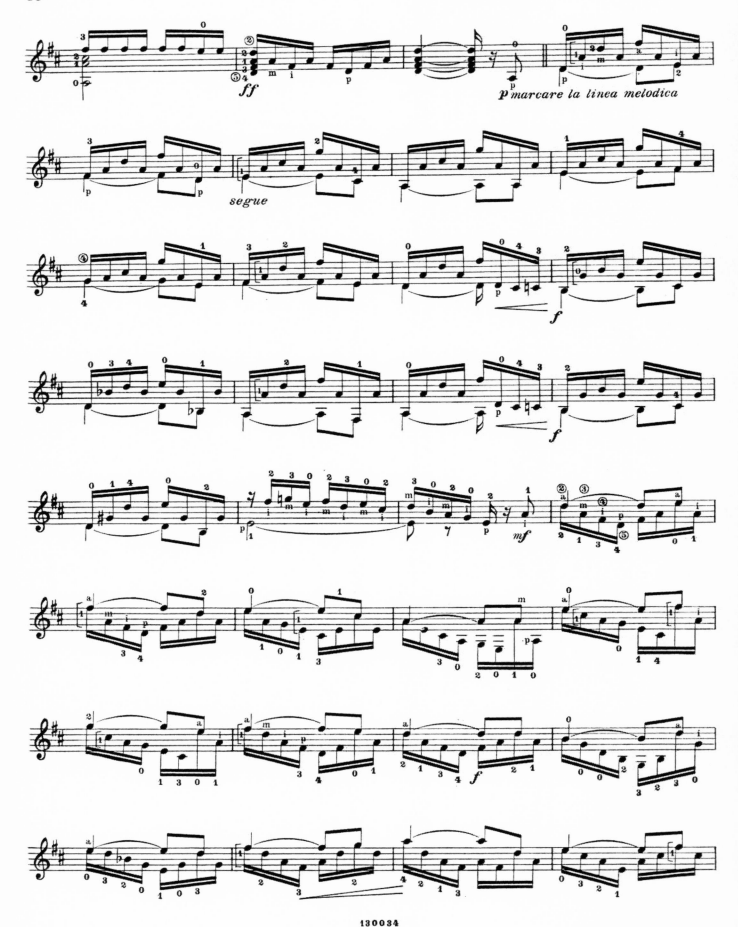

II. VARIAZIONE

a tempo

rit:.....................

mf e far risaltare la melodia

segue

f sino alla fine

STUDIO

(dalla I alla III posizione)

F. SOR

ANDANTINO

(dalla I alla III Posizione)

M. GIULIANI

**Dalla "Teoria musicale" e dai "Solfeggi parlati e cantati" di L. O. Anzaghi ri-
leverete e potrete ottenere la cultura teorica indispensabile al buon esecutore.**

130034

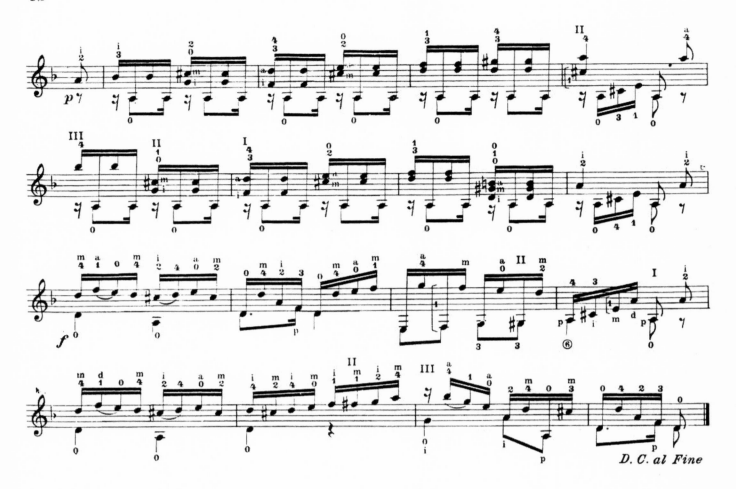

D. C. al Fine

STUDIO
(dalla I alla III Posizione)

D. AGUADO

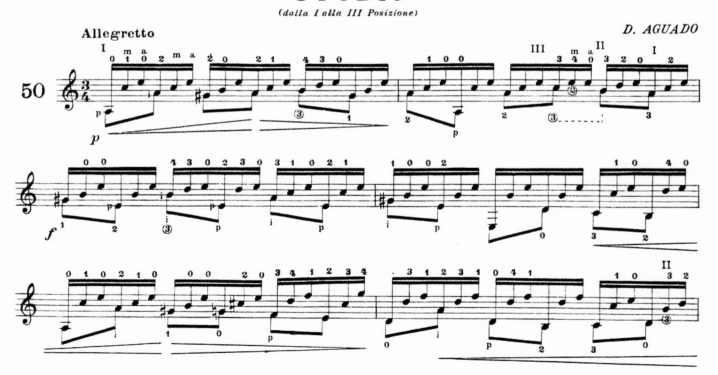

Studiate lentamente; otterrete sicurezza e precisione. La velocità verrà in seguito.

130034

PAVANA

dalla I alla III Posizione

L. MILAN

INVENZIONE

dalla I alla III Posizione

I. STANLEY

★) Tenere fermo il 1º dito e trillare martellando con il 2º dito.

STUDIO

dalla I alla III Posizione

Allegretto con grazia

F. SOR

ANDANTINO

dalla I alla III Posizione

M. CARCASSI

Non scoraggiatevi se non imparate rapidamente. Lo studio della musica ri-chiede il suo tempo.

130034

ALLEGRETTO
dalla I alla III Posizione

M. GIULIANI

VALZER
dalla I alla III Posizione

G. FARRAUTO

Moderato

(E. C.) Mi♭ ⑤ corda VI tasto **4** dito (equisono conveniente).

VALZER

dalla I alla IV Posizione

M. CARCASSI

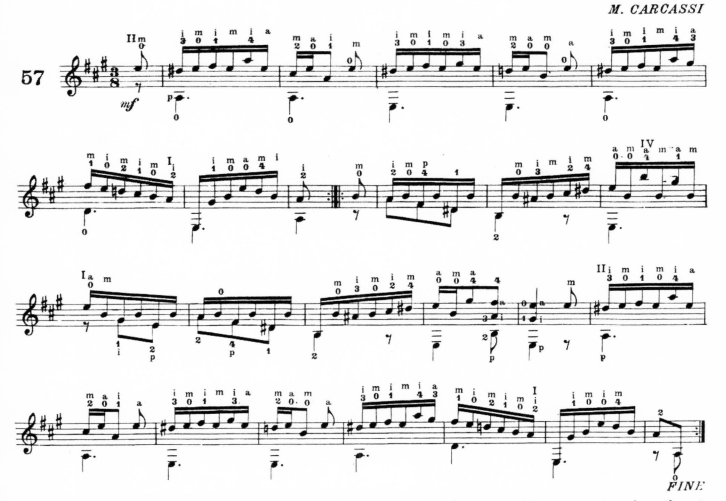

Fate attenzione a non contrarre cattive abitudini che difficilmente riuscireste ad eliminare.

130034

FINE

MINUETTO

dalla I alla IV Posizione

N. PAGANINI

58

D. C. al Fine

MINUETTO

dalla I alla IV Posizione

N. PAGANINI

Gli esercizi tecnici vanno studiati quotidianamente: solo così potrete ottenere la padronanza dello strumento.

ALLEGRETTO

dalla I alla IV Posizione

F. SOR

ALLEGRETTO

dalla I alla IV Posizione

M. GIULIANI

Le scale e gli esercizi tecnici devono essere la vostra ginnastica giornaliera.

130034

MINUETTO

dalla I alla IV Posizione

F. CARULLI

Gli "Esercizi tecnici" di L. O. Anzaghi (ed. Ricordi N. 129638) vanno studiati quotidianamente e parallelamente a questa Antologia. Non dimenticatelo.

65

Nella raccolta del "Chitarrista Virtuoso" di L. O. Anzaghi (ed. Ricordi N. 129461)
rileverete brani d'interesse tecnico e artistico che, disposti in ordine di difficoltà progressiva, la rendono veramente interessante.

130034

STUDIO

I e IV POSIZIONE

M. CARCASSI

I consigli dell'insegnante vanno messi in pratica: vi saranno di grande utilità e vi faranno risparmiare tempo e denaro.

LARGHETTO

dalla I alla IV Posizione

M. CARCASSI

ALLEGRETTO

dalla I alla IV Posizione

A. DONNADIEU

65

Non irrigidite i polsi: ne deriverebbero dannose difficoltà.

130034

POCO ALLEGRETTO *)

(IV POSIZIONE)

F. CARULLI

FINE

D.C. al Fine

*) La mano sinistra in IV posizione per tutta la durata del pezzo.

130034

CAPRICCIO

dalla I alla IV Posizione

L. LEGNANI
1790 - 1877

Studiate lentamente : otterrete sicurezza e precisione. La velocità verrà in seguito.

130034

STUDIO

dalla I alla V Posizione

F. SOR

Ripetere quanto è già stato studiato migliora la tecnica e rivela cose nuove.

130034

GIGA

dalla I alla V Posizione

R. DE VISÉE

ANDANTE MOSSO

dalla I alla V Posizione

M. GIULIANI

GRAZIOSO

dalla I alla V Posizione

M. GIULIANI

Le scale e gli esercizi tecnici devono essere la vostra ginnastica giornaliera.

ANDANTINO
dalla I alla V Posizione

N. PAGANINI

72

Che vale lo studio se non è sostenuto dalla buona volontà?

ANDANTINO

dalla I alla V Posizione

N. PAGANINI
1784-1840

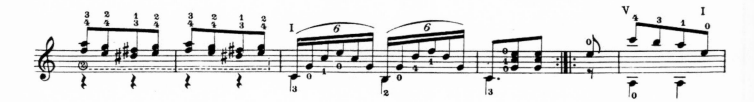

ALLEGRO SPIRITOSO

dalla I alla V Posizione

M. GIULIANI

Anche le cose più difficili, se fatte con entusiasmo, si presentano facili.

130034

GRAZIOSO

dalla I alla V Posizione

M. GIULIANI

Di ogni singolo studio curate i particolari e cercate di superare ogni difficoltà.

130034

ALLEGRETTO

dalla I alla V Posizione

M. GIULIANI

Gli "Esercizi tecnici" di L. O. Anzaghi (ed. Ricordi N. 129638) vanno studiati quo_
tidianamente e parallelamente a questa Antologia. Non dimenticatelo.

ALLEGRO
dalla I alla V Posizione

M. GIULIANI

77

Studiate con entusiasmo. Tutto vi sembrerà più facile.
130034

ANDANTE

V Posizione

F. CARULLI

★) La m.s. in V posiz. per tutta la durata del pezzo.

130034

STUDIO

dalla I alla V Posizione

F. SOR

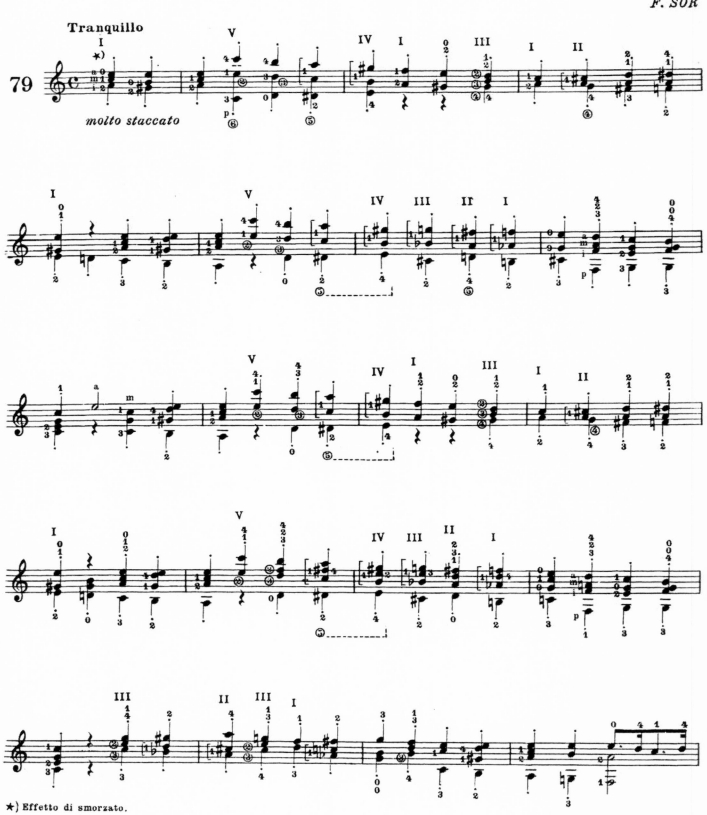

★) Effetto di smorzato.

Di ogni singolo studio curate i particolari e cercate di superare ogni diffi - coltà.

130034

CAPRICCIO

dalla I alla V Posizione

L. LEGNANI

Allegro moderato

80

Calma e buona volontà contribuiscono alla cultura dello studioso.

Nel volume secondo di questa "Antologia per chitarra" di **L. O. Anzaghi** (ed. Ricordi N. 130035) sono comprese composizioni di grande valore artistico, quindi di alto interesse. Procuratevelo.

STUDIO
dalla I alla V Posizione

F. SOR

Non scoraggiatevi se non imparate rapidamente. Lo studio della musica richiede il suo tempo.

130034

MINUETTO

dalla I alla V Posizione

F. SOR

130034

TRIO

D.C. al Fine

MINUETTO
dalla I alla V Posizione

D. AGUADO

83

130034

Le scale vanno studiate tutti i giorni. È un piccolo sacrificio dal quale ritrar-
rete grandi vantaggi.

MODERATO

dalla I alla VI Posizione

F. SOR

★) Si elimini la nota sol in caso d'impossibilità esecutiva.

130034

CAPRICCIO

dalla I alla VI Posizione

L. LEGNANI

Allegretto con moto

85

STUDIO
dalla I alla VI Posizione

F. SOR

Una equilibrata posizione favorisce la sicurezza esecutiva e l'estetica.

Fate attenzione a non contrarre cattive abitudini che difficilmente riuscireste ad eliminare.

130034

DANSE NORD

dalla I alla VI Posizione

M. GIULIANI

FINE

D. C. al Fine

130034

INVENZIONE
PER DUE CHITARRE
dalla I alla III Posizione

J. S. BACH

Le esercitazioni per due chitarre sono di grande utilità e procurano un vero diletto e interesse artistico.

130034

Ripetere quanto è già stato studiato migliora la tecnica e rivela cose nuove.

INVENZIONE
PER DUE CHITARRE
dalla I alla V Posizione

J. S. BACH

130034

130034

INVENZIONE A DUE VOCI

PER DUE CHITARRE

dalla I alla VII Posizione

J. S. BACH

Studiate con entusiasmo. Tutto vi sembrerà più facile.

130034

Rileggete la "Prefazione" vi rivelerà cose utili.

INVENZIONE
PER DUE CHITARRE
dalla I alla VI Posizione

J. S. BACH

91

Anche le cose più difficili, se fatte con entusiasmo, si presentano facili.

Ripetete quanto avete già studiato: tutto vi apparirà più interessante.